Tha an leabhar seo le:

Airson luchd splis-splais-splois
sa h-uile àite! ~ E.P.

Airson Raya ~ C.A.

A' chiad fhoillseachadh sa Bheurla an 2022 le Walker Books Earr,
87 Vauxhall Walk, Lunnainn SE11 5HJ
www.walker.co.uk

A' chiad fhoillseachadh sa Ghàidhlig an 2022 le Acair, An Tosgan, Rathad Shìophoirt, Steòrnabhagh, Eilean Leòdhais HS1 2SD
info@acairbooks.com www.acairbooks.com

An teacsa Gàidhlig Mòrag Anna NicNèill.
An dealbhachadh sa Ghàidhlig Mairead Anna NicLeòid.

Tha Acair a' faighinn taic bho Bhòrd na Gàidhlig.
Gheibhear clàr catalog CIP airson an leabhair seo ann an Leabharlann Bhreatainn.

LAGE/ISBN: 978-1-78907-131-3

Clò-bhuailte ann an Sìona.

Riaghladair Carthannas na
Carthannas Clàraicht
Registered Charity SC04

PLUBADAICH!

Emma Perry Na dealbhan le Claire Alexander

Sgòthan mòra,
Speuran dorcha,
Boinnean uisge,
Glumagan gu leòr.

"Thugainn!"

Rèis bhoinnean
Sìos an leòsan,
Sròn ris an uinneig,
Cò nì a' chùis?
"Thugainn!"

Bòtannan air casan,
Dùin an còta,
Còmhdach air
ceann.

Fosgail doras,

Fosgail geata.

"Teannaibh a-nall!

Is thugainnibh...

A PHLUBADAICH!”

Cù na lòn,
Stad e stòlda,
Chrath e bhodhaig,
Chrath e cheann.

An aire! Uisge a' stealladh...

ANNS GACH ÀITE!

"Cumamaid a' plubadaich!"

Stùirn,

Stàirn,

Starram

Sgàilein air iteig,
Còtaichean
a' crathadh,
Daoine le adan
Ro thrang
airson spòrs.

Air do shocair!

Baidhc mòr, glumag mhòr.

"Cumamaid a' plubadaich!"

Splis,

Splais,

Splois!

Glumagan salach, glumagan bìodach.

ÒBH! ÒBH!

Glumag MHÒR UABHASACH,
Glumag DHOMHAINN,
Bòtannan...

LÀN!

Sgluis!

Splaidse!

tocainnean cho fliuch,

rdagan cho fuar.

“Tilleamaid dhachaigh!”

Fosgail geata, fosgail doras.

"Còmhdach far cinn,
Fosgail còta,
Bòtannan ... dhinn!
Is còmhla ri chèile...

GABHAMAID FOIS!’

Emma Perry 'S e ùghdar leabhraichean chloinne is tidsear bun-sgoile a th' ann an Emma Perry. Stèidhich i My Book Corner, an làrach lèirmheis airson leabhraichean chloinne, agus tha i a' ruith Latha Eadar-nàiseanta nan Tiodhlac Leabhraichean. Sgrìobh i *I Don't Like Books. Never. Ever. The End.*, a th' air a dhealbhachadh le Sharon Davey, agus *This Book Has Alpacas and Bears*, a th' air a dhealbhachadh le Rikin Parekh. Tha i a' fuireach còmhla ris an duine aice, a dithis chloinne agus dà chat, agus is toil leatha a bhith a' fàs ghlasrach le cumaidhean annasach air lot. Lorg i air-loidhne aig www.emmaperryauthor.com, air Instagram aig @emmaperry agus air Twitter aig @_EmmaPerry.

Claire Alexander 'S e ùghdar is dealbhadair a th' ann an Claire Alexander, a th' air grunn leabhraichean-dhealbh a dhèanamh, nam measg *The Think-Ups!* is *A Little Bit Different*, a sgrìobh agus a dhealbhaich i fhèin, agus cuideachd *Humperdink* is *The Snow Bear* a sgrìobh Sean Taylor. Ann an 2007, thòisich Clàire a' teagasg chùrsaichean is chlasaichean maighstireachd air mar a thathar a' cruthachadh leabhar-dhealbh, a tha i fhathast a' ruith aig House of Illustration. Lorg Claire air-loidhne aig www.clairealexander.co.uk, air Instagram aig @claire_alexander_picture_books agus air Twitter aig @PicBookCourse.